CACHORRITOS

TANGO

ELLEN MILES

SCHOLASTIC INC.

A Caroline, la Frijolito original

Originally published in English as *The Puppy Place: Cody*

Translated by Ana Galán.

ISBN 978-0-545-57097-8

Text copyright © 2008 by Ellen Miles.
Translation copyright © 2013 by Scholastic Inc.

Cover art by Tim O'Brien
Original cover design by Steve Scott

12 11 10 9 8 7 6 5 4 3 2 1   13 14 15 16 17 18/0

Printed in the U.S.A.   40
First Spanish printing, September 2013

CAPÍTULO UNO

—¿Y qué te parece si nos disfrazamos de Dorothy y el espantapájaros? —preguntó Lizzie.

—No sé... —dijo María considerando la idea.

—¡Sería perfecto! —A Lizzie se le iluminaron los ojos—. Chico podría ser Toto. Lo llevaría en un canasto como Dorothy en *El mago de Oz*.

A Lizzie Peterson le encantaba Halloween. Le divertía imaginarse disfraces geniales, aunque al final siempre acababa disfrazándose de algo muy sencillo, como de gitana o vagabundo. Le divertía recorrer las calles de su pueblo, Littleton, en una noche de otoño, aunque normalmente hacía frío o llovía y su mamá la obligaba a ponerse el abrigo encima del disfraz. Y, por supuesto, le divertía ir llenando su bolsa de caramelos hasta rebosar, aunque a ella y a sus hermanos solo los dejaban comer dos caramelos al día. Cuando llegaba el día de Acción de Gracias, los caramelos que no se habían podido comer ya estaban malos y ni siquiera merecía la pena quitarles la envoltura.

Este año, Halloween iba a ser más divertido que nunca por dos motivos. El primero era que a Lizzie y a su mejor amiga María (y a Charles y Frijolito, los hermanos pequeños de Lizzie) los habían invitado a participar en el desfile de Halloween de Littleton y a montar en el camión de bomberos de Olson, el jefe de los bomberos. Lizzie conocía a Olson porque su papá también era bombero. Pero no iban a montar en el camión de bomberos del pueblo, sino en uno antiguo que pertenecía a Olson y que este guardaba en un garaje enorme detrás de su casa. Lizzie quería ver las caras de todos cuando la vieran subida al brillante camión rojo con sus relucientes adornos de latón. Por eso su disfraz de este año *tenía* que ser muy original.

El otro motivo por el que este Halloween iba a ser muy especial era porque Chico estaría con ellos. Chico era el pequeño perro marrón de la familia Peterson, y Lizzie lo quería más que a nada en el mundo.

La familia Peterson acogía perritos que necesitaban un hogar y los cuidaba hasta encontrarles una familia que los adoptara. A Chico también lo habían acogido de cachorro, pero al final decidieron quedárselo para siempre y ahora era un miembro más de la familia. Lizzie, Charles y Frijolito (que en realidad se llamaba Adam) siempre habían querido tener su propio perro, ¡y ahora por fin tenían uno! No solo eso, sino que además Chico era un perro genial.

—Te quiero mucho, Chico —le susurró Lizzie al perrito en la oreja.

Chico estaba acurrucado y medio dormido en su regazo mientras ella y su mejor amiga pensaban en los disfraces y comían manzanas y queso en la cocina.

María seguía pensando en la idea de Lizzie. Se acercó y acarició a Chico.

—¿Y por qué tú tienes que ser Dorothy? —preguntó—. ¿Qué pasa si yo también quiero disfrazarme de Dorothy?

Lizzie lo pensó un momento. A lo mejor el tema de *El mago de Oz* no era tan buena idea.

—Entonces, ¿qué te parece si nos disfrazamos de hadas? Chico podría ser un elfo, un hongo o algo así —dijo.

—A lo mejor —dijo María—, pero tú dices que los disfraces de hadas son muy tontos.

—¿Qué? —preguntó Lizzie sorprendida.

—Sí, lo dijiste hoy en la escuela durante el almuerzo. ¿Te acuerdas? Dijiste que estabas harta de que todo el mundo se disfrazara de hada, y que los disfraces de hada estaban pasados de moda.

—Ah, puede que sí —contestó Lizzie confundida.

María frunció el ceño.

—¿Es que no te acuerdas? No parabas de

hablar, aunque en realidad nadie te había pedido tu opinión. De hecho, cuando te fuiste, Shanna Garbeck me dijo que se había sentido bastante mal porque ella pensaba disfrazarse de hada.

¡Ay!

—Qué pena —dijo Lizzie encogiéndose de hombros y metiendo la nariz en el cuello de Chico. Lo besó cinco veces. ¡Era tan dulce!

—¿Sabes qué? —dijo María sopesando sus palabras antes de decirlas—. A veces me avergüenzo un poco cuando haces ese tipo de comentarios. Está bien decir lo que piensas, pero a lo mejor deberías esperar a que alguien te pidiera tu opinión, en lugar de decirla así sin más.

Lizzie se quedó mirando a María.

—¿Te avergüenzas? —preguntó—. ¿Por qué?

—Supongo que porque soy tu mejor amiga —dijo María frunciendo el ceño—. Mira, olvídalo. Vamos a seguir hablando de disfraces.

Lizzie volvió a hablar de disfraces, pero no podía olvidar lo que había dicho su amiga. No podía. Esta no era la primera vez que alguien le decía que era demasiado sincera a la hora de expresar su opinión. Su mamá se lo había dicho más de una vez y su papá también lo había comentado medio riéndose. "¡Así es nuestra Lizzie! Siempre tiene algo que opinar y no se puede callar", había dicho.

Lizzie se sintió acalorada, a pesar de que no había calor en la cocina. A partir de ese momento intentaría tragarse sus opiniones, por lo menos hasta que le rogaran que las compartiera.

—¡Hola! —dijo Charles entrando en la cocina—. ¡Tengo un chiste buenísimo!

María y Lizzie protestaron. Últimamente Charles y su mejor amigo, Sammy, estaban volviendo locos a todos con sus chistes. Era incluso peor que cuando les había dado por las bromitas de "toc toc". Esta vez habían decidido escribir un libro que se titularía *101 chistes de perros*.

—¿Preparadas? —preguntó Charles entre risas—. ¿Qué perro tiene Drácula?

—Me rindo —dijo Lizzie.

—Yo también —dijo María.

—¡Un pura sangre! —soltó Charles partiéndose de la risa. Ni siquiera notó que a las dos niñas el chiste no les había hecho ninguna gracia—. ¡Ese seguro que lo pondremos en el libro!

Charles siguió riéndose mientras abría el refrigerador para buscar algo de comer.

—¿Dónde está Sammy? —le preguntó Lizzie.

—En su casa —masculló Charles con la boca llena de uvas—. Está haciendo un cartel para la Semana de Prevención de Incendios. Dice que este año va a ganar la competencia.

Lizzie y María ya habían hecho sus carteles, pero ambas sabían que, como siempre, Noah Burke ganaría la competencia de su grado. Noah era el mejor pintor de la escuela primaria de Littleton.

—¿Dónde están mamá y Frijolito? —preguntó Charles.

—Arriba. Mamá está escribiendo un artículo y Frijolito está durmiendo la siesta.

La señora Peterson era reportera del periódico de Littleton.

Lizzie levantó una mano.

—Pásame una uva —dijo.

Charles lanzó una, y Lizzie la atrapó y se la comió. *Ñam*.

—Ahora intenta meterme una en la boca —dijo Lizzie abriendo mucho la boca.

Charles lanzó una uva que hizo un arco en el aire y cayó muy lejos.

Chico intentó escabullirse del regazo de Lizzie para comérsela.

—Oh, no. Ni hablar —dijo Lizzie sujetándolo con fuerza.

María se arrodilló para recoger la uva que había rodado bajo la mesa. Hacía poco que Lizzie y ella habían aprendido en Internet que las uvas no eran buenas para los perros.

En ese momento, sonó el timbre.

—¿Quién será? —preguntó Lizzie. Nadie usaba la puerta principal de su casa.

—Lizzie, ¿podrías mirar quién es? —dijo su mamá desde el piso de arriba.

Lizzie puso a Chico en el piso y se dirigió a la puerta. El perrito la siguió.

—No salgas —le dijo, aguantándolo con el pie mientras abría la puerta.

Allí, en el porche, estaba Sammy, su vecino, con su mamá. Sammy sonreía. Su mamá, no. ¡Llevaba una correa con un cachorrito! Un cachorrito que no paraba de tirar de la correa y jadear.

—Acabamos de encontrar a este perrito atado al manzano de nuestro jardín. Creo que quien lo dejó allí tenía mal la dirección —dijo la mamá de Sammy pasándole a Lizzie la correa del perro y un gran sobre blanco.

El sobre iba dirigido a "Las personas que acogen cachorritos".

CAPÍTULO DOS

El cachorrito empezó a ladrar en cuanto vio a Lizzie. Para ser tan pequeño, sus ladridos eran fortísimos. Agitaba la colita de tal modo que hacía que todo su cuerpo se moviera. Era blanco con manchas negras por todo el cuerpo. Tenía la nariz negra y lustrosa, los ojos marrones y llevaba un collar de color rojo brillante.

—¡Oh! ¡Es un dálmata! —dijo Lizzie, y se arrodilló para saludarlo.

Chico aprovechó ese momento para salir disparado por la puerta.

—¡Chico! —gritó Lizzie, y soltó la correa del cachorrito para detener a su perro, pero no lo consiguió.

Sammy, sin embargo, tuvo más suerte.

10

—¡No, no! ¡Nada de escaparse! —dijo atrapando a Chico antes de que avanzara más.

—¡Ay! ¡Gracias! —dijo Lizzie, y se volteó para volver a agarrar la correa del cachorrito dálmata, pero el perrito blanco con manchas negras ya se había metido en la casa ladrando sin parar.

¡Yupi! ¡Ya estoy aquí! ¡Vamos a jugar!

—¿Lizzie? —gritó su mamá desde el piso de arriba—. ¿Qué está pasando?

—¡Yo me tengo que ir! —dijo la mamá de Sammy rápidamente—. Saluda a tu mamá de mi parte.

Sammy entró a Chico en la casa y volvió a salir.

—Buena suerte —dijo con una sonrisa, y salió detrás de su mamá.

Lizzie cerró la puerta y llevó a Chico a la sala de estar.

—¡Parece que vamos a acoger a un nuevo

cachorrito! —le dijo—. Quédate aquí un rato hasta que compruebe si es amistoso o no, ¿de acuerdo?

Chico la miró confundido. Lizzie le dio un beso, lo puso en el piso y cerró la puerta detrás de ella.

—¿María? —llamó por encima de los ladridos—. ¿Charles?

—Estamos aquí —gritó María desde la cocina.

—¡Ayúdanos! —gritó Charles.

Lizzie corrió hasta la cocina y se encontró a su mejor amiga y a su hermano persiguiendo al pequeño cachorro alrededor de la mesa.

—¡No podemos atraparlo! —dijo Charles.

El perrito ladraba alegremente mientras correteaba por la cocina, resbalando y patinando por el piso. Tenía la lengua fuera y una expresión muy chistosa. Lo estaba pasando en grande.

Lizzie se echó a reír.

—¿De qué te ríes? —le preguntó María—. De verdad, no hay manera de atraparlo.

Lizzie corrió a la encimera y abrió el tarro de las galletas de Chico. Sacó una.

—¡Toma, perrito! —dijo mostrándosela al cachorro para que la viera—. ¿Quieres una?

El cachorro se detuvo de golpe bajo la mesa de la cocina y ladeó la cabeza. Tenía una oreja blanca y la otra negra. También tenía una gran mancha negra sobre el ojo derecho, lo que le daba un adorable aspecto de pirata.

—Ven aquí —lo animó Lizzie.

Poco a poco el cachorrito se fue acercando. Charles dio un paso hacia delante.

—Espera —dijo Lizzie—. No lo agarres. Se podría asustar.

El cachorrito estiró el cuello y olió la galleta.

—Bien hecho —dijo Lizzie suavemente.

Acercó con mucho cuidado la mano que tenía libre y metió un dedo por debajo del collar del cachorrito. Una vez que lo tuvo agarrado, lo dejó comer la galleta. El perrito se la comió haciendo ruido y dejando caer migajas al piso. Luego, bajó la cabeza y lamió todas las migajas con su larga lengua rosada. En cuanto terminó, miró a Lizzie y empezó a ladrar otra vez. Ahora movía la cola con más fuerza todavía.

¡Qué rica! ¿Por qué no me das una o dos más?

Lizzie se rió. Era un perrito muy travieso, pero lindísimo. Se sentó en el piso y lo puso encima de sus piernas para darle besos y abrazos antes de que empezara a correr otra vez.

—¿Qué está pasando aquí? —preguntó la mamá de Lizzie parada en la puerta de la cocina con las manos en las caderas.

Frijolito estaba a su lado sujetándole el vestido y con aspecto de recién haberse despertado.

—¡Un perrito! —gritó el niño, y salió corriendo hacia Lizzie y el cachorro.

—¡Un momento! Nada de acariciar perritos que no conocemos —dijo su mamá agarrándolo por los tirantes del overol.

—Pero... —empezó a decir Frijolito.

—Nada de peros —contestó la Sra. Peterson firmemente. Tomó a Frijolito en sus brazos y miró a Lizzie con una ceja levantada—. ¿Dónde está Chico? ¿Y quién es este si se puede saber? —añadió señalando al cachorro que seguía ladrando sin parar.

—Chico está en la sala de estar —dijo Lizzie.

—¡Sammy trajo este perro! —dijo Charles casi al mismo tiempo—. Alguien lo dejó en su casa por equivocación.

La Sra. Peterson parecía confundida.

—¿Cómo?

—Dejaron una nota —dijo Lizzie y le mostró el sobre. Soltó al cachorro por un momento, y este inmediatamente empezó a correr una vez más por la cocina, resbalando, tropezándose y ladrando—. ¡Huy!

La chica le dio el sobre a su mamá, se sacudió unos cuantos pelos blancos de los pantalones y fue a sacar otra galleta del tarro. ¡Este perrito iba a dar mucho trabajo! Pero no era la primera vez que su familia acogía a un cachorro con tanta energía. Eso a ella no le preocupaba. ¿Acaso no habían conseguido encontrar el hogar ideal para Golfo, el terrier de Jack Russell que ladraba tanto? ¿Y también para Chato, al que le habían puesto el apodo de Don Pesado? Lizzie sabía que también encontrarían al dueño ideal para este cachorro tan travieso.

La Sra. Peterson se sentó con Frijolito en su regazo y abrió el sobre. Empezó a leer la nota en voz alta, muy alta, para que todos la pudieran oír por encima de los ladridos.

—"Este es Tango. Tiene seis meses y es un dálmata" —leyó.

—¡Lo sabía! —interrumpió Lizzie—. ¿Sabían que los dálmatas son completamente blancos cuando nacen? Las manchas negras les salen a las pocas semanas.

Lizzie vio que Charles miraba hacia el techo y le hacía una mueca a María. ¿Por qué ponía esa cara? No tenía nada de malo saber tanto de perros. De hecho, ella se sabía prácticamente de memoria las razas de todos los perros del mundo. ¿No deberían alegrarse todos de que siempre estuviera dispuesta a compartir sus conocimientos?

—Gracias, Lizzie —dijo la Sra. Peterson en un tono que más bien quería decir "en estos momentos no necesitamos saber más cosas sobre perros".

—Pues a mí me parece que es importante saber cosas sobre los perros que acogemos —dijo Lizzie.

—¡Elizabeth Maude Peterson! —dijo la Sra. Peterson mirando a Lizzie seriamente—. ¿Acaso piensas que vamos a quedarnos con este cachorro tan ruidoso?

CAPÍTULO TRES

—¡Por supuesto que sí! —dijo Lizzie—. ¡Tenemos que cuidarlo, mamá!

Miró la cara adorable del cachorrito y sonrió. Tango era tan dulce.

La Sra. Peterson suspiró.

—¿Y por qué no lo llevamos a Patas Alegres? —preguntó.

Patas Alegres era el refugio de animales en el que Lizzie trabajaba de voluntaria una vez a la semana. Allí cuidaban a gatos y perros que no tenían hogar.

—Imposible. Está completamente lleno —dijo Lizzie moviendo la cabeza mientras se preguntaba si María y Charles habrían visto como cruzaba los dedos por detrás de la espalda.

En realidad, Lizzie no estaba mintiendo. El refugio estaba repleto y no había ni una sola jaula vacía, pero ella sabía que la Srta. Dobbins, la directora de Patas Alegres, nunca rechazaría a un animal.

Sin embargo, Lizzie pensaba que eso no era lo que su mamá necesitaba oír en ese momento.

—La persona que dejó a Tango con esa nota quería que nuestra familia se encargara de él —dijo Lizzie—. ¿Por qué no la terminas de leer? A lo mejor nos explican por qué está aquí.

Tango ladró como si estuviera de acuerdo.

La Sra. Peterson volvió a suspirar y continuó leyendo.

—"Tango es un buen perro, pero a nosotros nos resulta demasiado difícil cuidarlo. Hicimos todo lo que pudimos, pero no somos muy buenos con los cachorros. Sabemos que ustedes le encontrarán un hogar con una familia que aprecie su personalidad y energía".

El perrito volvió a ladrar al oír su nombre.

—"P.D.: Suelta muchísimo pelo, ladra un montón y también tira de la correa" —leyó la Sra. Peterson.

—No hace falta que lo diga... —dijo Charles.

—"No sabemos cómo enseñarle a que no haga esas cosas, pero a lo mejor ustedes sí" —terminó de leer la Sra. Peterson.

—¡Yo sí sé! —dijo Lizzie—. Bueno, no puedo hacer que deje de soltar pelo, pero estoy convencida de que sé cómo entrenarlo para que obedezca.

En ese momento, Tango pegó un salto, corrió hasta la encimera y se paró en dos patas. Luego olisqueó el pan casero que había hecho esa mañana el Sr. Peterson.

—¡Abajo, Tango! —dijo Lizzie, y el cachorrito bajó las patas de la encimera—. ¿Ves?

Lizzie estaba radiante, pero de pronto se dio cuenta de que Tango había agarrado un pedazo de pan y se lo estaba comiendo.

Frijolito se reía, pero la Sra. Peterson no.

—Ni siquiera sabemos si se va a llevar bien con Chico —dijo.

—Por favor, mamá —dijo Lizzie—. ¿Podemos intentarlo?

Lizzie estaba leyendo un libro que había sacado de la biblioteca sobre cómo entrenar a cachorritos traviesos, y quería poner en práctica algunas de las ideas que había aprendido. Tango iba a ser un gran reto, pero a ella le gustaban los retos.

Y además, quién sabe, a lo mejor si conseguía que Tango aprendiera a portarse bien, podría llegar a ser parte de su familia al igual que Chico.

—Yo puedo ayudar —prometió Charles.

—¡Yo también! —dijo María—. Es tan lindo que no nos costará trabajo encontrarle un hogar.

—¡Yo quiero ayudar! —gritó Frijolito.

Todos se voltearon para mirar a Tango. Se había quedado dormido cerca del fregadero. Movía las patas como si estuviera soñando que corría por la cocina.

—¡Mira! —dijo Lizzie—. Hace lo mismo que Chico. Juega sin parar y de pronto se queda dormido.

Tango abrió un ojo. Era realmente adorable.

—Bueno —dijo la Sra. Peterson—. Veamos qué dice tu papá cuando llegue a casa.

—¡Qué bien! —gritaron Charles, Lizzie y María.

—Eso no quiere decir que sí —advirtió la Sra. Peterson.

Pero Lizzie y Charles no podían dejar de sonreír. Sabían que había una probabilidad muy grande de que los dejaran quedarse con Tango.

—Oye, ¿dónde está Frijolito? —preguntó Lizzie al darse cuenta de que su hermano no se había unido a la celebración.

Frijolito había desaparecido. Poco después volvió a la cocina con Chico a su lado.

—¡A ver si son amigos! —dijo.

Frijolito había sacado a Chico de la sala de estar. Debió de haber oído a su mamá preguntándose si Tango y Chico se llevarían bien. Lizzie se soprendió. Sabía que su hermanito intentaba ayudar, pero esto podía salir mal.

La chica apenas tuvo tiempo para preocuparse. Tango se despertó en un segundo e inmediatamente se puso a jugar con Chico. Los dos cachorros se olieron y movieron la cola y empezaron a juguetear. Ahora había dos perros ladrando sin parar en la cocina.

La Sra. Peterson se tapó las orejas.

—Seguro que su papá se va a llevar una gran sorpresa cuando vuelva a casa —dijo.

El Sr. Peterson no llegaría hasta bien entrada la tarde. Ese día le iba a mostrar la estación de bomberos a un grupo de personas mayores que vivía en un lugar llamado La Pradera. A los bomberos de Littleton les gustaba recibir visitas, sobre todo durante la Semana de Prevención de Incendios.

Cuando llegó a la casa, Lizzie y Charles lo recibieron sin parar de hablar de Tango.

—Por favor, papá —le rogó Lizzie—. ¿Podemos cuidarlo?

—¡Qué pequeñito es! —dijo el Sr. Peterson arrodillándose para ver a Tango, que una vez más estaba dormido. Esta vez se había tumbado en la alfombra de la sala de estar, delante de la chimenea. Él y Chico estaban cansados después de jugar toda la tarde.

—Se llama Tango —dijo Lizzie.

Al oír su nombre, Tango se despertó rápidamente y le empezó a ladrar al Sr. Peterson.

Ay, no. Lizzie aguantó la respiración.

Pero el Sr. Peterson se rió.

—¡Bienvenido, Tango! —dijo.

CAPÍTULO CUATRO

—¡Espera, Tango! ¡Cálmate! ¡No hales la correa!

Lizzie corría detrás del cachorrito, que iba olisqueando todas y cada una de las cosas que se encontraba por el camino. Para ser tan pequeñito, era muy fuerte.

¡Guau! ¡Mira como huele esto! ¡Es increíble! ¿Y qué te parece esto? ¿Se podrá comer? ¡Cómo me gusta explorar nuevos sitios!

Los padres de Lizzie habían dado el visto bueno para que Tango se quedara con ellos durante un tiempo, y Lizzie había estado leyendo hasta muy tarde sobre cómo entrenar cachorros. Era sábado, el día que Lizzie solía ir a Patas

Alegres, pero esta vez no iría al refugio de animales. Cuando la Srta. Dobbins oyó que tenía un nuevo cachorro, le dijo que se podía tomar el día libre "para conocerlo mejor". Así que Lizzie y Tango se dirigían a casa de María.

—Mi mamá dice que quiere conocer a Tango —le había dicho María—. Además, cree que Simba podría ser una buena influencia para él. Simba es tranquilo y muy bueno.

La madre de María era ciega y Simba, un labrador amarillo, era su perro guía. Era muy calmado y se quedaba dormido a los pies de su dueña mientras esperaba a que le diera la próxima orden. En cuanto la Sra. Santiago se ponía de pie, Simba también lo hacía. Siempre estaba listo para trabajar. Iba a todos los sitios con ella: al mercado, al médico e incluso a los restaurantes. Y sus modales siempre eran perfectos: no olisqueaba a la gente, ni saltaba encima de ella, ni ladraba. A Lizzie le pareció que era una buena idea.

Lizzie y María aprovecharían para seguir planeando sus disfraces de Halloween y comenzar a entrenar a Tango.

—Como es un cachorrito, las sesiones de entrenamiento no deberían durar más de diez minutos —le había recordado Lizzie a María—. Un perrito tan joven no puede prestar atención durante más tiempo. Entre sesión y sesión tendremos tiempo suficiente para planear los disfraces.

Mientras llamaba a la puerta de la casa de María, Lizzie se volteó hacia el perrito.

—Lo primero que te vamos a enseñar es a no tirar de la correa —le dijo.

El cachorrito movió la cola contento.

¡Sí, claro! ¡Lo que tú digas!

La mamá de María abrió la puerta. Simba estaba a su lado. Cuando el perro vio a Lizzie, movió la cola, pero Lizzie no lo acarició. Sabía que no podía distraer a un perro guía cuando estaba trabajando.

—Hola, Sra. Santiago —dijo—. ¡Este es Tango!

Tango ladró y la Sra. Santiago se agachó para acariciar al cachorro.

—¡Qué pelo tan suave! —dijo—. Parece muy fuerte y sano.

—Lo es —dijo Lizzie—. Es un perrito perfecto. Bueno, salvo que ladra mucho, tira de la correa y suelta mucho pelo.

—Todo eso se le pasará —dijo la Sra. Santiago—. Es solo un cachorrito.

Simba se acercó a olfatear a Tango. El cachorrito saltó y empezó a morderle el cuello, pero Simba se lo quitó de encima.

—María está arriba, en su habitación —dijo la Sra. Santiago.

Tango arrastró a Lizzie escaleras arriba y se metió en la habitación de María, que lo subió a su cama y le dio un beso. Mientras, Lizzie observó las pinturas, los marcadores, el pegamento y otras cosas que su amiga había sacado.

—¡Se me ha ocurrido una idea genial para un disfraz! —le dijo María a Lizzie—. Mira, mi papá encontró estos tubos de cartón. —Señaló dos cilindros grandes, del tamaño de un cubo de basura, que estaban en una esquina de la habitación—. Son lo suficientemente grandes para meternos dentro.

—Ya veo —dijo Lizzie—. ¿Qué quieres hacer con ellos?

—¡Los podemos pintar! —dijo María—. Podemos ser latas de refresco o de sopa o de cualquier otra cosa.

Lizzie lo pensó. No era mala idea. De hecho, le habría gustado que se le hubiera ocurrido a ella. Pero una lata de sopa le parecía un poco aburrida. Claro que no lo dijo en voz alta. Últimamente había estado haciendo verdaderos esfuerzos para no expresar su opinión así, sin más. Se quedó mirando los tubos.

—¡Ya lo tengo! —dijo—. ¡Nos podemos disfrazar de frascos de mantequilla de maní y mermelada!

María se rió.

—Perfecto —dijo—. Y seguro que tú quieres ser la mantequilla de maní, ¿no?

—Me da igual —dijo Lizzie mirando a Tango, que había decidido dormir una siesta—. Qué mono es, ¿verdad? Podemos aprovechar que está durmiendo para empezar a hacer los disfraces. Pero antes de pintar los tubos, deberíamos practicar en un papel.

Lanzaron una moneda al aire para ver quién iba a ser la mantequilla de maní (ganó Lizzie), metieron un CD en el reproductor de María y empezaron a trabajar. A Lizzie le encantaba pintar y estaba tan distraída que casi se olvidó de Tango. Casi... hasta que de pronto, cuando se acabó una canción, oyó un crujido.

—¡Ay, no! —gritó al darse la vuelta.

Tango se había despertado hacía un rato y estaba destrozando los cilindros de cartón. Lizzie

se enojó, pero Tango tenía una carita tan ino-
cente y se veía tan lindo sentado entre los restos
de cartón que a Lizzie y a María les dio risa.

—Supongo que ahora tenemos que pensar en
otra idea para los disfraces —dijo Lizzie recogiendo
las pinturas—. Bueno, ya que está despierto, podemos aprovechar para entrenarlo.

—¿Qué es lo primero que deberíamos enseñarle? —preguntó María.

—Mi mamá dice que tiene que dejar de ladrar
tanto, así que eso será lo primero —dijo Lizzie—.
En este libro muestran una manera muy buena
de hacerlo. Tenemos que ponerlo en una situa-
ción que lo haga ladrar, por ejemplo, si sales al
pasillo y llamas a la puerta.

—Muy bien —dijo María—. ¿Y después?

—Cuando un perro ladra, mucha gente suele
gritar para que se calle —explicó Lizzie—, pero
eso nunca da resultado porque el perro piensa
que su dueño también está ladrando. Lo que voy
a hacer es esperar a que deje de ladrar, y en ese

momento decirle "bien hecho" y darle una galleta de premio. Después de hacer eso unas cuantas veces, en lugar de "bien hecho" le diré "calla" cuando deje de ladrar. Si repetimos eso un millón de veces, aprenderá que tiene que dejar de ladrar cuando le digamos la palabra "calla".

Sonaba fácil en teoría, pero Lizzie no estaba muy convencida de que fuera a funcionar.

María salió al pasillo y cerró la puerta. Unos segundos después, llamó. Tango empezó a ladrar. Lizzie esperó y esperó, pero el cachorro no paraba de ladrar ni para respirar. Por fin, Tango se calló.

¿Qué pasa? ¿Es que no oyes que alguien está llamando a la puerta?

—¡Bien hecho! —dijo Lizzie.

Sacó una galleta de su bolsillo y se la dio a Tango.

El cachorro se la tragó de un bocado y empezó a ladrar de nuevo. Lizzie se dio cuenta de que no iba a ser nada fácil entrenar a Tango.

CAPÍTULO CINCO

—¡Ja, ja! Bueno, no te preocupes. Seguro que tarde o temprano lo entenderá —dijo riendo Olson, el jefe de los bomberos—. Los cachorros dálmatas tienen muchísima energía.

Los niños de cuarto grado de la escuela primaria de Littleton estaban visitando la estación de bomberos. Los niños de los otros grados ya habían terminado su visita y ahora les tocaba a ellos. La entrada de la estación de bomberos estaba llena de niños. Mientras esperaban, se reían y jugaban a empujarse hasta que los maestros les pidieron que se tranquilizaran. Lizzie estaba hablando con Olson. Le contaba lo travieso que era Tango. Sabía que al jefe de los bomberos le divertiría oír sus historias porque él también tenía un dálmata llamado Duque, que era la mascota de los bomberos.

Lizzie conocía a Duque desde hacía mucho tiempo. Era el perro mejor educado que había visto y, además, era un verdadero héroe. En una ocasión, Duque sacó a una persona de un edificio en llamas. ¡Había salvado una vida!

—Duque, eres increíble —le dijo Lizzie al perro.

Duque estaba sentado tranquilamente cerca de Olson, y tenía una expresión parecida a la de Tango, pero de perro mayor.

—¿Irá Duque con nosotros al desfile de Halloween? —le preguntó Lizzie a Olson.

—¡Claro que sí! —dijo el jefe de los bomberos—. No se lo perdería por nada del mundo.

Lizzie volvió a acariciar a Duque. Le resultaba difícil creer que algún día Tango fuera como él. ¡Y no era porque no estuviera aprendiendo! Lizzie lo entrenaba todos los días, y a veces el cachorrito dejaba de ladrar durante cinco minutos cuando le decía "¡calla!". Ahora le tenía que enseñar a sentarse y esperar mientras ella abría la puerta, en lugar de empezar a dar saltos. Lo siguiente sería enseñarle a no tirar de la correa.

—¡Muy bien, ya estamos listos! —dijo el papá de Lizzie acercándose al grupo de niños—. ¡Bienvenidos! Mi nombre es Paul y, como muchos de ustedes saben, soy el papá de Lizzie. —Le guiñó un ojo a Lizzie y le sonrió al grupo—. ¿Cuántos de ustedes han estado antes en una estación de bomberos?

Muchos niños levantaron la mano, incluyendo Lizzie.

—Me acuerdo cuando vinimos en kindergarten —dijo Daniel, un niño del salón de Lizzie—. Jessica se puso a llorar cuando vio a un bombero con la máscara de oxígeno y el equipo.

Jessica le dio un codazo a Daniel.

—¡Cállate! —le dijo sonrojándose.

—Eso es normal —dijo el Sr. Peterson—. Los niños pequeños se asustan de las cosas que no han visto antes. Por eso es importante que desde muy pequeños se acostumbren a ver a un bombero con el equipo puesto. Si hay un incendio, los niños pequeños tienen que saber que los bomberos son sus amigos, por mucho miedo que den.

Caroline levantó la mano.

—Recuerdo que en segundo grado nos subimos a un camión de bomberos. Nos pareció muy divertido porque éramos pequeños —dijo, y miró con nostalgia hacia el camión de bomberos.

El Sr. Peterson sonrió.

—Eso es divertido para los niños de todas las edades. Podrán hacerlo cuando terminemos de visitar la estación. Pero antes, vamos a jugar a las adivinanzas. ¿Cuánto tiempo creen que tardo en ponerme mi equipo de bombero? —preguntó.

—¡Un minuto! —gritó Noah.

Todos los niños empezaron a gritar al mismo tiempo.

—¡Cinco minutos!

—¡Cuatro horas!

El Sr. Peterson se rió al oír la última sugerencia.

—¿Quién tiene un reloj? Me pueden cronometrar. ¿Listos? ¡Allá voy! —Se acercó a los estantes donde los bomberos guardan su equipo. Se metió de un salto en las botas, se puso los pantalones anchos y se colocó los tirantes sobre los hombros. Después se abrochó los pantalones, se puso la capucha resistente al fuego, la gruesa chaqueta, un par de guantes y el casco en la cabeza—. ¡Paren el reloj! ¿Cuánto tardé?

Daniel miró su reloj.

—¡Caramba! —dijo—. Veinticinco segundos.

Lizzie sabía que el récord de su papá era de veintiún segundos, pero aplaudió como todos los demás. Después, ella y el resto de sus compañeros siguieron a su papá por las escaleras. Visitaron el dormitorio, las oficinas, la cocina y el cuarto donde los bomberos juegan a las cartas o leen cuando no están ocupados. El Sr. Peterson les habló de las tareas que tenían que hacer:

limpiar la estación y el equipo, cocinar y arreglar todo tipo de cosas.

—Es mucho trabajo —dijo—. Pero esta es nuestra casa y tenemos que encargarnos de ella.

Cuando llegó el momento de ir al piso de abajo, el Sr. Peterson preguntó:

—¿Alguien quiere ver como me deslizo por el poste?

—¡Yo! —gritaron todos.

Los niños bajaron corriendo las escaleras y esperaron en la planta baja. En un segundo, el Sr. Peterson bajó deslizándose por el poste con una gran sonrisa en la boca.

—¡Yupi! —gritó.

Todos se rieron. Estaba claro que al papá de Lizzie le encantaba esa parte de ser bombero.

—Muy bien, ahora vamos a los camiones —dijo el Sr. Peterson indicando el camino—. Pueden subirse al asiento del conductor para ver qué tal se va ahí. El jefe de los bomberos los ayudará a bajar cuando terminen.

Pero mientras Lizzie esperaba su turno, sucedió algo inesperado: empezó a sonar la sirena.

—Posible ataque cardíaco en el número treinta y dos de la calle Elm. Respondan todas las unidades —dijo una voz por el altoparlante.

Tres hombres y una mujer bajaron deslizándose por el poste de la estación y se pusieron sus uniformes azules de auxiliares médicos. Enseguida, corrieron a la ambulancia que estaba estacionada al lado del camión de bomberos y se metieron rápidamente.

—¡Duque, apártate del camino! —gritó Olson.

Lizzie vio que Duque estaba sentado justo delante de la ambulancia, mirando en dirección contraria.

—¡Duque! —volvió a gritar el jefe de los bomberos.

El motor de la ambulancia empezó a rugir y la inmensa puerta del garaje se empezó a abrir.

Pero Duque no se movió.

CAPÍTULO SEIS

—¿Y qué pasó? —preguntó la Srta. Dobbins.

Habían pasado unos días desde la visita a la estación de bomberos y Lizzie estaba trabajando en Patas Alegres. No le gustaba dejar a Tango en casa, pero no quería faltar otro sábado al refugio de animales.

Lizzie le estaba contando a la Srta. Dobbins lo que había sucedido con Duque mientras las dos limpiaban una jaula de perros. Ozzie, un beagle que estaba en el refugio, acababa de ser adoptado por una familia. Ahora tenían que preparar la jaula para el siguiente perro que la necesitara. Los otros perros de la sala se habían puesto a ladrar cuando vieron entrar a la Srta. Dobbins y a Lizzie, pero ya se habían calmado.

—Fue muy raro. Duque siempre se porta bien, pero esta vez no parecía estar escuchando. Se quedó ahí sentado, mirando al aire. Por fin, Olson se acercó y lo agarró del collar. Tuvo que apartar a Duque para que la ambulancia pudiera pasar —dijo Lizzie frunciendo el ceño al recordarlo.

—¿Se enojó Olson? —preguntó la Srta. Dobbins.

—No —dijo Lizzie, y se puso un poco triste al pensar en lo que había pasado—. Para nada. Se quedó moviendo la cabeza de un lado a otro, y después me dijo que Duque se estaba quedando sordo.

—Ay, no —dijo la Srta. Dobbins mientras le pasaba a Lizzie un juguete, un cuenco rojo para el agua y una manta verde. Lizzie tenía que lavarlo todo para el siguiente perro—. Qué lástima. A su edad muchos perros pierden el oído. Aunque no es difícil llamarlos y enseñarles a sentarse con gestos de la mano.

—Eso estaría muy bien —dijo Lizzie—. Y además, Duque es tan listo. Seguro que lo aprendería muy rápido.

Ahora la Srta. Dobbins estaba volcando un balde con agua y jabón sobre el suelo de cemento de la jaula.

—Aunque —dijo recapacitando—, creo que eso no sería suficiente para un perro bombero.

Lizzie suspiró.

—Tienes razón. Ese es el problema. Olson dijo que es peligroso que Duque deambule solo por la estación de bomberos. A partir de ahora se va a tener que quedar en la oficina o en casa.

Lizzie sabía que su papá y los demás bomberos iban a extrañar a Duque. Les gustaba cepillarlo, jugar con él o darle cosas de comer.

—¿Sabías que algunos dálmatas nacen sordos? —preguntó la Srta. Dobbins estirando la mano para que Lizzie le pasara el trapeador.

—¿De verdad? ¡Qué interesante! —dijo Lizzie.

La Srta. Dobbins asintió.

—Algunas personas piensan que tiene algo que ver con el color blanco de su pelaje. Los animales blancos suelen tener problemas de oído, sobre todo los que tienen ojos azules. ¿Te acuerdas de aquella gata blanca que tuvimos durante tanto tiempo? ¿Daisy? Era un poco sorda.

Lizzie recordaba perfectamente a Daisy, una gata muy grande que ronroneaba sin parar. Tenía el pelo blanco y largo y un ojo verde y el otro azul.

—¿Crees que Duque está sordo porque es un dálmata?

La Srta. Dobbins negó con la cabeza.

—No, en su caso, seguramente es por la edad —dijo terminando de fregar el piso y devolviéndole el trapeador a Lizzie—. Toma. Ya está. Bueno, ¿y qué tal te va con el pequeño Tango?

—Mejor —informó Lizzie—. Ya sabe lo que quiere decir "calla", aunque no siempre obedece. Pero sigue siendo muy inquieto. Lo peor es que tira mucho de la correa cuando lo paseo. ¡Nos está volviendo locos! Mi mamá piensa que deberíamos usar uno de esos collares que aprietan el cuello al tirar, pero a mí me parece que le va a hacer daño.

—Sé exactamente lo que necesitas —dijo la Srta. Dobbins—. ¿Ya has visto al nuevo perro, Rosco?

—No, todavía no —dijo Lizzie—. He oído hablar de él. Es un rottweiler grande, ¿no?

—Grande no, ¡enorme! —dijo la Srta. Dobbins riendo—. Es como un camión. —Guardó el trapeador y se dirigió hacia la parte de atrás de la sala—. Ven, te lo voy a presentar.

—¡Caramba! —exclamó Lizzie al ver el perro que ocupaba la jaula número tres.

Rosco era inmenso. Era un perro muy fuerte, de color marrón y negro, con una cabeza gigantesca y cuadrada y unas patas del tamaño de hamburguesas. A Lizzie no le daban miedo los perros, pero se imaginó que a mucha gente le daría miedo Rosco.

—Es muy bueno —dijo la Srta. Dobbins como si le hubiese leído la mente—. No mataría ni una mosca. ¡Pero tira muchísimo de la correa!

Lizzie notó un pinchazo en el hombro. Si apenas podía sujetar al pequeño Tango cuando lo paseaba, ¿cómo podría pasear a Rosco? Uno de sus trabajos en el refugio era sacar a los perros a hacer ejercicio. ¡Pero le iba a resultar imposible controlar a un perro tan grande!

—Para sacarlo usamos esto —dijo la Srta. Dobbins mostrándole a Lizzie unas cintas rojas de tela que estaban enganchadas a la puerta de la jaula de Rosco—. Es un dogal o collar de adiestramiento. —Abrió la jaula de Rosco y se metió dentro—. Se pone por encima del hocico y la correa se engancha justo por debajo de la mandíbula. —Demostró cómo se ponía mientras hablaba—. Ahora lo puedes pasear sin problemas. Cuando el perro hala fuerte, le das un pequeño tironcito a la correa para hacer un poco de presión en el hocico.

Rosco intentó quitarse el collar con la pata.

—Le pica un poco, pero no le hace daño. Se acostumbrará pronto —explicó la Srta. Dobbins saliendo de la jaula y pasándole la correa a Lizzie—. Vamos, llévalo afuera. Ya verás qué bien funciona.

Lizzie le dio una palmadita a Rosco.

—Hola, Rosco. Me llamo Lizzie. ¿Quieres salir a pasear? —Rosco levantó las orejas, miró a Lizzie y empezó a mover su corta cola muy contento—. ¡Muy bien! ¡Vamos!

Lizzie lo sacó por la puerta de atrás del refugio que daba al patio de recreo.

¡Era increíble! Rosco no tiraba para nada. Cuando Lizzie quería que dejara de olfatear el pasto, todo lo que tenía que hacer era tirar un poquito de la correa, como le había dicho la Srta. Dobbins. ¡Parecía algo mágico!

—¿No tendrás un dogal que le sirva a Tango? —le preguntó Lizzie a la Srta. Dobbins cuando terminó de pasear a Rosco.

Su mamá estaba a punto de recogerla y seguramente tendría que sacar a pasear a Tango cuando llegara a casa.

—Ya me imaginaba que me ibas a preguntar eso —dijo la Srta. Dobbins sacando un dogal como el de Rosco pero más pequeño y de color verde—. ¡Buena suerte!

—¡Gracias! La voy a necesitar —dijo Lizzie—. Tengo el presentimiento de que para adiestrar a Tango me va a hacer falta algo más que un collar.

La Srta. Dobbins asintió.

—¿Sabes lo que sería ideal para él? Que lo adoptara alguien que tuviera un perro ya adulto y más tranquilo. Creo que Tango necesita vivir con un perro que le dé el ejemplo.

Lizzie recordó que la mamá de María le había dicho lo mismo y que un perro como Simba sería una buena influencia para Tango. Pero Simba era un perro guía y no podía dedicarse a enseñar a un cachorro a comportarse. Entonces Lizzie pensó en otro perro, uno que era tan tranquilo y maduro como Simba. De pronto, sus ojos se encontraron con los de la Srta. Dobbins.

—¿Piensas lo mismo que yo? —preguntó.

CAPÍTULO SIETE

—¡Sería el final perfecto! ¡Algo del destino! Es el sitio ideal para Tango. ¡Es un dálmata! ¡Es una tradición! —exclamó Lizzie.

Había estado leyendo sobre los perros dálmata y cómo, históricamente, corrían al lado de los coches de bomberos tirados por caballos.

—¡Todos van a estar felices con él! —predijo María—. Sobre todo ahora que se porta mucho mejor. Eso demuestra que puede aprender.

Tango había aprendido mucho y muy rápido. Lizzie apenas lo podía creer. Hacía poco más de una semana que el cachorrito había aparecido en la puerta de su casa ladrando y saltando lleno de energía. Y ahora, allí estaba, trotando por la acera entre María y ella como un perfecto caballero. El collar de adiestramiento funcionaba a la perfección. Tango era otro. A Lizzie le hubiera gustado quedarse con él para siempre, pero sabía que su mamá nunca lo permitiría.

Había llegado el momento de presentar a Tango a la persona que Lizzie, María y la Srta. Dobbins pensaban que sería el dueño perfecto para él. ¿Quién mejor que Olson?

Por un lado, Lizzie sabía que a Olson le iba a resultar muy difícil no tener a Duque a su lado en la estación de bomberos. Pero por otro, sabía que al jefe de los bomberos le encantaban los dálmatas y se entendía muy bien con ellos. Sabría exactamente cómo lidiar con el cachorro.

Y, además, Tango viviría con uno de los mejores perros del mundo, Duque, que sería su maestro y amigo.

—A lo mejor un día tú también serás un héroe —le dijo Lizzie al simpático perrito con manchas.

Tango la miró.

¡Sí, claro, lo que tú digas! ¡Esto es divertido!
¡No sé a dónde vamos, pero ya quiero llegar!

—¿Llamaste a Olson para decirle que íbamos para allá? —preguntó María.

—No, y le pedí a mi papá que no le dijera nada. Quiero darle una sorpresa. Se va a quedar sorprendido cuando vea todo lo que ha aprendido Tango —dijo Lizzie.

Tardaron el doble de lo normal en llegar a la estación de bomberos porque parecía que todo el mundo que pasaba a su lado tenía que pararse a acariciar a Tango y a hacerles miles de preguntas sobre el cachorro. ¡La gente lo adoraba!

Cuando por fin las chicas doblaron la esquina donde estaba la estación de bomberos, Tango levantó las orejas y olfateó el aire. Por un momento, tiró de la correa, pero Lizzie pegó un pequeño halón para recordarle que no debía hacerlo.

—¡Seguro que huele a Duque! —dijo Lizzie.

Tango no dudó cuando Lizzie abrió la puerta de la estación de bomberos. Se metió dentro como si conociera el lugar.

—¡Mira quién está aquí! ¡Tango! —dijo el Sr. Peterson arrodillándose y abriendo los brazos.

Tango salió corriendo hacia él muy contento. El cachorrito le dio un montón de besos al Sr. Peterson con su lengua rosada.

—¿De quién es este perrito tan lindo? —preguntó Meg, una bombera que Lizzie conocía muy bien.

Meg había adoptado a Flecha, un pastor alemán que había acogido la familia Peterson. Ahora estaba entrenándolo para que fuera un perro de búsqueda y rescate.

En cuestión de segundos, Tango se encontró rodeado de bomberos. Le encantaba que le prestaran tanta atención. El perrito lamía a todos los que se acercaban a abrazarlo y acariciarlo.

¡Esto es genial! ¡Esta gente me adora y yo los adoro a ellos!

De pronto, el papá de Lizzie se paró.

—Hola, Olson —dijo—. Solo estábamos...

El jefe de los bomberos estaba allí de pie, observando a Tango. Tenía una expresión extraña en la cara. Duque esperaba pacientemente a su lado.

—Este no puede ser el cachorrito travieso del que tanto he oído hablar —dijo—. A mí me parece que se porta muy bien.

Duque dio un paso hacia delante, y él y Tango se tocaron con el hocico. Duque movía la cola.

—¡A Duque parece caerle bien! —dijo Lizzie—. Eso es genial porque...

María le dio un codazo a Lizzie en el brazo. El plan consistía en que Olson pensara que se le había ocurrido a él la idea de adoptar a Tango.

—Porque es muy bueno que los perros se lleven bien —terminó de decir Lizzie torpemente.

El jefe de los bomberos no pareció notar nada. Se había arrodillado para acariciar a Tango.

—Eres un perrito muy lindo —dijo.

—¡Y muy listo! —dijo Lizzie, que no pudo evitar interrumpirlo. No le importaba si María le volvía a dar otro codazo—. ¡No te puedes ni imaginar las cosas que ha aprendido!

—Así que aprende muy rápido, ¿eh? —preguntó pensativo el jefe de los bomberos. Vio que Duque dejaba que Tango le mordisqueara la oreja durante un momento—. ¿Estás intentando buscarle un hogar?

Lizzie no aguantó más.

—¡Sí! —dijo—. ¡Contigo!

María se echó a reír.

El jefe de los bomberos también.

—De hecho, eso es exactamente lo que estaba pensando. Tengo el presentimiento de que a Duque le encantaría enseñarle el oficio a este cachorrito. Le daría a nuestro viejo amigo algo que hacer, y está claro que Tango será una gran mascota cuando crezca —dijo Olson mirando a los otros bomberos—. ¿Qué opinan?

—¡Sí! —gritaron todos al unísono.

El Sr. Peterson chocó los cinco con Lizzie.

María y Lizzie se miraron y sonrieron. En ese momento, Lizzie notó algo que le tiraba del pie.

—¡Tango! —gritó—. ¡No te comas los cordones de mis zapatos!

Todo el mundo se empezó a reír.

Lizzie y María hicieron el viaje de regreso un poco más tarde, con Tango paseando alegremente y sin tirar de la correa. Ambas estaban felices y muy orgullosas.

—Mi mamá no va a poder creer que Tango ya tiene un hogar —dijo Lizzie al pasar por delante de la oficina de correo.

Justo en ese momento, una mujer que iba caminando en la otra dirección, se detuvo.

—¿Se llama Tango ese perrito? —preguntó.

Lizzie y María también se detuvieron. Tango se sentó y miró a la mujer. No ladró ni tiró de la correa. La mujer, que era muy delgada y tenía la cara afilada, se agachó a acariciarlo, pero Tango apartó la cabeza.

—Sí, así se llama —dijo Lizzie—. ¿Lo conoce?

La mujer parecía nerviosa y empezó a hablar muy rápido.

—Este... creo que conozco a un perrito que se llama así —dijo—, pero seguramente es otro Tango. Se parece bastante a este cachorrito, pero no se porta así de bien.

La mujer se despidió y se alejó rápidamente antes de que Lizzie pudiera decir nada.

—¿Quién es? —preguntó María.

—No lo sé —dijo Lizzie. Miró a Tango que seguía sentado muy tranquilo mientras observaba a la mujer alejarse—. Pero me parece que Tango sí lo sabe.

CAPÍTULO OCHO

Esa noche, después de cenar, Lizzie y su familia estaban sentados en la sala de su casa comiendo pastel de manzana con helado de vainilla, un postre especial para celebrar que Tango iba a vivir con Olson. Lizzie quería olvidar lo que había pasado antes ese día. ¿Quién era esa mujer que las había parado en la calle? ¿Y por qué parecía conocer a Tango? Lizzie estaba preocupada y no podía dejar de hacerse esa pregunta. Tenía un mal presentimiento. Pero no quería que eso estropeara la última noche de Tango en su casa.

—¡Siéntate! —Frijolito estaba de pie al lado de la chimenea. Tango estaba delante de él, moviendo la cola. Frijolito levantó un dedo y repitió—: ¡Tango, siéntate!

Tango no se sentó. Se quedó ahí con la cabeza ladeada y ladró un par de veces.

Esa palabra me resulta familiar. Creo que esta personita quiere que haga algo. Pero, ¿qué? A lo mejor quiere que ladre.

—¡Siéntate! —repitió una vez más Frijolito con un tono de voz más serio, como el que ponía su papá cuando quería que Chico hiciera algo.

Tango volvió a ladrar y a mover la cola con más fuerza.

—¡Siéntate! —dijo Frijolito imitando la voz alegre que ponía Lizzie para entrenarlo—. ¡Siéntate, siéntate, siéntate! —le rogó—. Por favor.

Lizzie se rió. Puso el plato de postre en una mesa y tomó a Frijolito en sus brazos.

—¿Estás entrenando a Tango? —preguntó.

Frijolito asintió haciendo una mueca con la boca. Lizzie sabía que su hermanito intentaba imitar lo que le había visto hacer a ella tantas veces desde que Tango había llegado a la casa. ¡Entrenar a un cachorrito era un trabajo muy duro! Sabía lo frustrante que podía resultar.

—¡Pero no se sienta! —lloriqueó Frijolito.

—Esto es lo que tienes que hacer —dijo Lizzie poniendo de nuevo a Frijolito en el piso—. Tango, ¡siéntate! —dijo Lizzie tocando ligeramente el lomo de Tango, lo suficiente para recordarle lo que quería que hiciera.

¡Ah, ya entiendo! ¡Quieres que me siente! ¡Eso es muy fácil!

Tango se sentó y miró a Lizzie.

—¡Muy bien! ¿Ves? Ya sabe lo que significa esa palabra —le explicó a su hermano—. Pero a veces necesita que se lo recuerden.

Frijolito pasó los brazos alrededor de Tango y lo abrazó.

—Te quiero mucho, Tango —dijo.

Lizzie sabía que todos iban a echar de menos al perrito.

De pronto, el Sr. Peterson se dio una palmada en la frente.

—¡Casi se me olvida! —dijo, y se levantó y fue a buscar la chaqueta que había llevado puesta ese día. Buscó en el bolsillo y volvió con un juguete rojo de plástico con forma de hidrante—. Olson me dio esto para Tango. Antes era de Duque —añadió, y le dio el juguete a Tango.

El cachorrito empezó a morderlo inmediatamente. Cuando Chico intentó quitárselo, Tango se escondió detrás de la mecedora de la Sra. Peterson.

Después, Charles fue al piso de arriba y volvió con un casco de bombero de plástico. Él y Lizzie se lo pusieron a Tango en la cabeza y le ajustaron la pequeña tira elástica por debajo de la mandíbula.

—¡Qué lindo es! —dijo Lizzie—. ¡Rápido! ¡Que alguien traiga una cámara!

Lizzie no podía creer lo gracioso que se veía Tango jugando con el hidrante de plástico y con el casco de bombero puesto. La Sra. Peterson fue corriendo a buscar la cámara y le tomó un montón de fotos. Todos se rieron cuando Chico intentó robarle una vez más el juguete. Esta vez Chico consiguió atraparlo, y los dos cachorritos salieron corriendo por la sala, gruñendo y peleándose por el juguete. A Tango se le había caído el casco de bombero hacia un lado, lo que le daba un aspecto más adorable todavía.

Al poco tiempo, los cachorritos estaban agotados. Tango se tumbó en la alfombra y se acurrucó al lado de Chico. Lizzie no pudo evitar soltar un suspiro al ver sus dulces caritas adormiladas. Le hubiera gustado que Tango se quedara a vivir con ellos, pero sabía que iba a ser feliz con Olson. Ser un perro bombero es algo muy especial.

La Sra. Peterson llevó a Frijolito a la cama y cuando volvió y vio que los perros estaban dormidos, preguntó:

—¿Qué les parece si jugamos al Scrabble?

—Pero el Scrabble es un juego muy... —comenzó a decir Lizzie, pero se llevó la mano a la boca antes de completar la frase. Iba a decir que el juego le parecía aburrido, pero tenía que admitir que esa era solo su opinión. Sabía que no todo el mundo pensaba lo mismo, aunque estaba casi segura de que a Charles tampoco le gustaba mucho ese juego por la mirada que puso.

Justo entonces sonó el teléfono.

—¡Yo contesto! —dijo Lizzie contenta de haber encontrado algo que hacer que no fuera jugar Scrabble.

Tango saltó y empezó a ladrar.

—¡Calla! —le dijo Lizzie.

Tango se quedó callado durante un segundo, lo suficiente para que Lizzie lo elogiara y le diera una palmadita. Después ladró unas cuantas veces más mientras la seguía hasta la cocina, donde la chica contestó el teléfono.

—¿Bueno?

—Hola, ¿eres... la niña que vi hoy con el dálmata?

Lizzie frunció el ceño al reconocer la voz de la mujer de la cara afilada.

—Soy Lizzie Peterson —contestó.

—Lizzie Peterson —repitió la mujer—. Y tu familia acoge cachorritos, ¿verdad?

—Sí.

—Y hace algún tiempo alguien dejó un dálmata en tu casa, ¿no es así?

—Sí —repitió Lizzie. Estaba a punto de contestar que ese alguien había desaparecido y había dejado a Tango en la casa equivocada, pero la mujer la interrumpió.

—Mi esposo quiere hablar contigo.

En ese momento, la Sra. Peterson entró en la cocina. Miró a Lizzie con una ceja levantada como queriendo decir "¿Quién es?".

Lizzie se encogió de hombros y movió la cabeza.

—¿Hola? —dijo la voz de un hombre en el

teléfono—. Me llamo Tim Stone. Ese dálmata que tienen en su casa es nuestro perro, Tango.

Lizzie se quedó sin aliento. No dijo ni una palabra. ¿Cómo se atrevía esta gente, que había abandonado a Tango, a decir que era su perro?

—No podíamos cuidarlo, pero mi esposa me dijo que ustedes sí podrían hacerlo —siguió diciendo el hombre—. Ella me contó que Tango ahora es un perro completamente diferente y que camina muy bien con la correa y apenas ladra.

—Sí, claro, ahora es fácil pasearlo porque me pasé un montón de tiempo entrenándolo —soltó Lizzie.

—Si eso es cierto —dijo el señor—, queremos que nos lo devuelvas.

CAPÍTULO NUEVE

Sin decir una palabra más, Lizzie le pasó el teléfono a su mamá. ¡No podía creer lo que acababa de escuchar!

—Soy Betsy Peterson —dijo la Sra. Peterson al contestar el teléfono—. ¿Quién me habla?

¡Lizzie no hubiera sido tan amable! De hecho, era incapaz de seguir escuchando el resto de la conversación. Volvió a la sala y Tango la siguió. Se sentó al lado de la chimenea y cargó al cachorro.

—¿Quién era? —preguntó el Sr. Peterson.

Lizzie enterró la cara en el cuello de Tango. No podía decir ni una palabra.

Un par de minutos después, apareció la Sra. Peterson en la sala.

—Parece que las cosas se complican —dijo.

—¿Qué pasa? —preguntó el Sr. Peterson.

—Eran las personas que tenían a Tango antes —explicó la Sra. Peterson—. Tim y Cheryl Stone. Supongo que la Sra. Stone vio a Tango cuando Lizzie y María lo llevaban por la calle. Y, en fin, dicen que quieren recuperarlo.

—¿Qué? —dijo Charles sorprendido—. ¿Por qué? Chico, que estaba durmiendo en las piernas de Charles, se despertó y miró a su alrededor.

—Porque ya no tira de la correa ni ladra tanto. Creen que ahora sí van a poder encargarse de él —dijo la Sra. Peterson—. Dicen que lo extrañan.

—Por supuesto —dijo el Sr. Peterson lentamente—. Es un cachorrito adorable, pero...

—Lo sé —dijo la Sra. Peterson—. ¿Qué le vamos a decir a Olson? Les expliqué que ya habíamos encontrado un hogar ideal para Tango, pero insistieron en venir a hablar con nosotros.

Lizzie abrazó a Tango con fuerza.

—¿Cuándo? —preguntó con un hilo de voz.

—Viven muy cerca, en la calle Foster. Estarán aquí en cualquier momento. —La Sra. Peterson miró las caras descontentas de todos—. ¿Qué podía hacer? A lo mejor tienen derecho a recuperar a Tango. Al fin y al cabo era su perro.

—Pero... —empezó a decir Lizzie.

Antes de que pudiera decir nada más, sonó el timbre de la puerta. Tango y Chico empezaron a ladrar. Lizzie les ordenó que se callaran y los perritos obedecieron.

La Sra. Peterson le lanzó una mirada seria a Lizzie.

—Vamos a ver qué nos quieren decir —dijo—. Es justo escucharlos.

Lizzie no estaba de acuerdo. No le parecía justo. Pero sabía que, una vez más, tendría que tragarse su opinión. Además, su mamá ya estaba abriendo la puerta.

—Pasen, por favor —dijo la Sra. Peterson.

Y de pronto, ahí estaba la mujer de la cara afilada. Llevaba un suéter anaranjado. A su lado iba un señor que no tenía la cara afilada, más bien todo lo contrario, la tenía redondeada.

—Tim Stone —dijo con una voz profunda. Sonrió y extendió la mano para estrechar la del Sr. Peterson. Después se volteó y vio al cachorrito blanco con manchas negras en el regazo de Lizzie—. ¡Tango! —dijo—. ¡Ven aquí!

Lizzie recordó cómo Tango se había apartado cuando la mujer intentó acariciarlo en la calle, así que no le sorprendió cuando el perrito no saltó para salir corriendo a recibir a Tim Stone.

El hombre se acercó y acarició a Tango por detrás de las orejas.

—¡Aquí está mi perrito! —dijo.

Estiró las manos, y Lizzie se vio obligada a darle a Tango, aunque no le gustó nada hacerlo.

Tim Stone sujetó a Tango de una manera extraña y después se lo pasó a su esposa. Ella agarró al cachorro fríamente, como si no quisiera llenarse el suéter de pelos blancos.

—Supongo que ahora nos lo llevaremos a

casa —dijo Tim Stone con la misma sonrisa de antes.

—¡De eso nada! —soltó Lizzie. No lo pudo evitar. Sabía que nadie le había preguntado nada, pero tenía una opinión muy clara y esta vez no pensaba tragársela—. Para empezar, ustedes lo abandonaron. Se deshicieron de Tango porque ladraba y tiraba de la correa y dejaba pelos por todas partes. Ahora ya no ladra tanto y está aprendiendo a no tirar de la correa, pero sigue soltando pelo y sigue siendo un cachorrito. Un cachorrito que va a morder las cosas y a hacer travesuras y... ¿qué harán cuando se porte mal? ¿Abandonarlo otra vez?

El Sr. Peterson se aclaró la garganta. Lizzie se preguntó si le pediría que bajara el tono, pero en su lugar, se enfrentó a la pareja.

—¿Saben qué? Lizzie tiene razón. Seguramente deberían pensarlo bien —empezó a decir.

—¿Qué hay que pensar? —dijo Tim Stone sacando unos papeles de su bolsillo—. Tango es nuestro. ¡Lo podemos probar! Aquí está el recibo de la tienda de mascotas. Además, no fue nada barato.

El Sr. Peterson asintió.

—Lo comprendo, pero pensábamos que este cachorrito necesitaba un hogar y le encontramos uno muy bueno. Nosotros acogemos cachorros, eso es lo que hacemos. Ustedes lo abandonaron y ahora dicen que lo quieren otra vez, pero Olson, el jefe de los bomberos y, a su vez, mi jefe, también lo quiere. A lo mejor está dispuesto a darles el dinero que pagaron por Tango. No lo sé. En cualquier caso tenemos que pensar qué es lo mejor para Tango. —Se levantó y le quitó a la Sra. Stone el cachorro de las manos—. Gracias por venir.

Cheryl y Tim Stone no parecían muy contentos, pero el Sr. Peterson no estaba dispuesto a ceder. Fue hasta donde estaba Lizzie y, con mucho cuidado, puso al cachorrito en sus brazos. Después acompañó a la pareja hasta la puerta y les dio las buenas noches.

CAPÍTULO DIEZ

Lizzie miró a Tango. Después miró a sus padres.

—Lo siento —dijo en voz baja.

—No tienes que disculparte —dijo la Sra. Peterson—. Hiciste muy bien en decir lo que pensabas.

—Absolutamente —asintió el Sr. Peterson—. Al principio pensaba que lo correcto era devolverles a Tango, pero lo que dijiste es cierto. Este perrito sigue siendo un cachorrito, y ellos dejaron muy claro que no saben mucho de cachorros.

—¿Viste la cara que puso la mujer cuando Tango le lamió la cara? —preguntó Charles—. Parece que no le gustan los perros.

Lizzie abrazó al perrito.

—Pero ellos compraron a Tango —dijo—. ¿Podemos negarnos a devolvérselo?

—No estoy seguro —respondió el Sr. Peterson.

Justo entonces, sonó el timbre de la puerta. La Sra. Peterson levantó las cejas y fue a abrirla. Cuando volvió a la sala, Tim y Cheryl la acompañaban. Lizzie abrazó con más fuerza a Tango. ¿Insistirían en llevárselo?

—Ni siquiera llegamos a nuestra casa —dijo Cheryl Stone rápidamente—. Cuando llegamos a la calle Elm nos dimos cuenta de que tienes toda la razón. —Miraba directamente a Lizzie—. Realmente no queríamos abandonarlo. Pensamos que estábamos haciendo lo correcto al dárselo a tu familia. Pero no estuvo bien dejarlo y salir corriendo, ¿verdad? —dijo, esta vez mirando a su esposo.

El Sr. Stone sonrió.

—Supongo que estábamos un poco abrumados con la personalidad y energía de Tango. Creo que sería mejor que nos compráramos un perro adulto en lugar de un cachorrito —dijo.

—O incluso un gato. Siempre me han gustado más los gatos —añadió su esposa.

La Sra. Peterson la miró, y ambas sonrieron.

—¿Y el dinero que pagaron? —preguntó el Sr. Peterson.

Tim hizo un gesto con la mano como restándole importancia al asunto.

—¿Por qué no lo consideramos una donación para la estación de bomberos? Ustedes le prestan un servicio increíble a toda la comunidad. Es lo menos que podemos hacer.

—Y eso fue todo —le dijo Lizzie a María a la mañana siguiente cuando terminó de contarle lo que había pasado.

Las chicas estaban paseando de nuevo a Tango, solo que esta vez, Charles, Sammy, Chico y Frijolito las acompañaban. Y en esta ocasión, Tango se dirigía a la estación de bomberos para quedarse, aunque antes iban a participar todos en el gran desfile de Halloween. Lizzie y María por fin habían conseguido el disfraz perfecto para ellas y para todos los demás.

Era un día fresco y soleado, perfecto para un desfile. Mientras caminaban, Tango iba delante con la cabeza bien alta.

¡Ay, ay, ay! ¡Creo que me llevan otra vez a ese sitio tan divertido con el perro grande que se parece tanto a mí!

El jefe de los bomberos estaba delante de la estación dando los últimos toques al parachoques metálico de su viejo camión de bomberos. Olson tenía un aspecto imponente con su uniforme azul oscuro de gala con botones brillantes.

—¡Mira quién está aquí! —dijo.

Se arrodilló, abrió los brazos y Tango salió corriendo hacia él. El perrito movía la cola como un loco mientras le lamía la cara. Duque se

73

acercó y tocó con su hocico el de Tango, como dándole la bienvenida.

El jefe de los bomberos estaba totalmente concentrado en el cachorro, pero cuando por fin levantó la vista y vio a Lizzie, María, Charles, Sammy y Frijolito, soltó una gran carcajada.

—¡Es el disfraz perfecto! —dijo.

Los chicos llevaban pijamas blancos en los que habían pintado manchas negras. También llevaban unos sombreros muy divertidos con manchas negras y orejas colgando que la Sra. Peterson había encontrado en una tienda. ¡Iban vestidos de dálmatas! Hasta Chico llevaba un pequeño chaleco blanco con manchas negras. Y, por supuesto, Tango era el único que no necesitaba disfraz. ¡El viejo camión de bomberos iba a estar lleno de dálmatas!

—Han llegado justo a tiempo —dijo Olson—. Tenemos que ir hasta el cruce de la calle Main y Broadway. El desfile va a empezar en cinco minutos.

Los ayudó a subir al camión de bomberos y con mucho cuidado puso a Tango en las piernas de Lizzie y a Chico en las de Charles. Después, Duque saltó al asiento delantero y Olson se sentó a su lado, en el asiento del conductor. Arrancó el camión y salió lentamente del estacionamiento. Detrás de ellos iban los tres camiones de la estación de bomberos de Littleton. Todos los bomberos lucían sus uniformes. Lizzie se volteó para saludar a su papá, y él le sonrió y le devolvió el saludo. La chica abrazó con fuerza a Tango y el cachorro le lamió la mejilla. Lizzie sabía que el pequeño había encontrado el hogar ideal.

SOBRE LOS PERROS

Un perro es una responsabilidad muy grande tanto para adultos como para niños. Antes de tomar la decisión de tener un perro, hay que estar preparado. Los perros necesitan mucho cariño y cuidados, pero incluso cuando están muy bien atendidos, pueden dar mucho trabajo. Los cachorros hacen travesuras. Muerden las cosas y tienen mucha energía. Los perros adultos también dan trabajo. Pueden ladrar o hacer hoyos en el jardín o saltar encima de las visitas. Si has decidido ser dueño de un perro, debes estar preparado para todo eso ¡con una sonrisa! Merece la pena por todo el cariño que ellos nos dan a cambio.

Querido lector:

Siento tener que decirte que mi perro Django, el labrador negro más dulce y alegre del mundo, ha muerto. Tenía once años, lo que es bastante para un perro. Conservo muchos recuerdos maravillosos de él.

Siempre atesoraré los recuerdos de Django, desde el primer día que lo traje a mi casa y era tan chiquito. Solo de pensar lo lindo que era me hace sonreír.

Nunca es fácil perder a una mascota a la que has querido, pero los recuerdos hacen que tu mascota siga viva en tu corazón.

Saludos desde el hogar de los cachorritos,
Ellen Miles

ACERCA DE LA AUTORA

A Ellen Miles le encantan los perros y escribir sobre sus distintas personalidades. Ha escrito más de veintiocho libros, incluyendo la serie Cachorritos, la serie Taylor-Made, el libro *The Pied Piper* y otras obras clásicas de Scholastic. Le gusta disfrutar al aire libre todos los días, pasear, montar en bicicleta, esquiar o nadar, dependiendo de la estación del año. También le gusta mucho leer, cocinar, explorar su hermoso estado y reunirse con amigos y familiares. Vive en Vermont.

¡Si te gustan los animales, no te pierdas las otras historias de la serie Cachorritos!